I Eve ~ J.D.

I'r Dywysoges Amelia ~ L.M.

Cyhoeddwyd gyntaf yn 2006 gan Macmillan Children's Books
dan y teitl *The Princess and the Wizard*
Cyhoeddwyd yr addasiad Cymraeg yn 2010 gan Rily Publications Ltd
Blwch SB 20, Hengoed, CF82 7YR

ISBN: 978-1-904357-32-2

Dymuna'r cyhoeddwyr gydnabod cymorth Cyngor Llyfrau Cymru.

www.rily.co.uk

RILY

Julia Donaldson

Y Dywysoges a'r Dewin

Lluniau gan
Lydia Monks

Addasiad
Mererid Hopwood

Rily Publications

Roedd hi'n ben-blwydd ar y Dywysoges Angharad
ac wrth iddi chwythu'r canhwyllau ar y deisen,
hedfanodd dewin drwg i lawr y simnai ac i mewn i'r stafell.

"PAM NA CHES I WAHODDIAD I'R PARTI?"
taranodd.

"Am fod dewiniaid drwg yn hoffi
troi pobl yn garreg," atebodd y
Dywysoges Angharad.

"Digon gwir," atebodd y Dewin, a gyda chlec ar ei fysedd esgyrnog trodd y Brenin, y Frenhines a phawb yn y parti'n garreg. Chwarddodd yn greulon a dweud wrth y Dywysoges Angharad, "Maen nhw'n hoffi cipio tywysogesau hefyd."

Gyda hynny daeth sŵn chwyrlïo adenydd, a phwy ddaeth i mewn drwy'r ffenest ond Mam-dylwythen y Dywysoges. Roedd hi'n hwyr i'r parti.

Pan welodd yr olygfa o'i blaen, chwifiodd ei ffon hud gan ddweud:

"'Drwy newid ei lliw a'i llun,' meddai'r hud, 'gall y Dywysoges ddianc saith gwaith i gyd.'"

Ond wnaeth y Dewin ddim byd ond
chwerthin yn greulon a dweud:

"Er newid ei lliw a'i llun drwy'r dydd,
ni fydd y Dywysoges fyth mwy yn rhydd."

Yna gyda chlec ar ei fysedd esgyrnog
trodd y Fam-dylwythen yn garreg.

Bachodd y Dewin y Dywysoges
a'i dwyn i'r simnai a'i chario i
ffwrdd i'w gastell tywyll.

Taflodd hi i'r seler a chloi'r drws,
a dyna lle bu hi'n crio nes iddi
fynd i gysgu.

Fore trannoeth, roedd hi'n ddydd Llun. Agorodd y Dewin ddrws y seler.
Yn ei law roedd llyfr mawr coch ac yn hwnnw roedd ei holl hud a lledrith.

"Dyma dy gyfle cyntaf di i ddianc," meddai. "Fe fyddaf i'n cyfrif hyd at
gant ac yna byddaf yn dod i chwilio amdanat ti."

Agorodd ei lyfr,
a chan gau ei lygaid
dechreuodd gyfrif.

Rhedodd Angharad tu fas.
Disgleiriai ffos y castell yn las o dan yr awyr las.
Neidiodd i'r dŵr a throi ei hunan yn bysgodyn glas.

"Naw deg wyth, naw deg naw, cant!"
Agorodd y Dewin ei lygaid, edrych yn ei
lyfr hud a lledrith, a darllen:

Er mwyn dod o hyd
i Angharad tu fas,
Edrycha yn y pwll
am bysgodyn glas.

Cododd Angharad o'r ffos a'i chipio
i'w gegin, oedd yn llawn llestri a
sosbenni glas. Roedd ôl bwyd wedi
sychu'n grimp arnyn nhw.

"Rwyt ti'n hoffi glas, wyt ti?" meddai.
"Os felly, dechreua olchi!" Ac aeth
allan gan gloi'r drws yn dynn.

Fore Mawrth agorodd y Dewin ddrws y gegin.
Edrychodd ar y llestri a'r sosbenni glân a rhuo.

"Cyfle rhif dau," meddai.

Agorodd ei lyfr, cau ei lygaid
a dechrau cyfrif.

Rhedodd Angharad i fuarth y fferm.
Trodd ei hun yn gyw bach melyn a
chuddio yn y gwellt.

Ond darllenodd y Dewin yn ei lyfr:

Mewn pentwr o wellt
gyda'r cywion mân
Mae Angharad felen
yn canu ei chân.

Cydiodd yn Angharad a mynd â hi i gwpwrdd oedd yn llawn sanau melyn.
Roedd twll ym mhob hosan gan fod ewinedd traed y Dewin mor finiog.
"Rwyt ti'n hoffi melyn, wyt ti?" meddai. "Os felly, dechreua wnïo'r tyllau."
A chlodd y drws yn dynn.

Fore dydd Mercher, agorodd y
Dewin ddrws y cwpwrdd, edrych
ar y sanau wedi'u trwsio a rhuo.

"Cyfle rhif tri," meddai.
Agorodd ei lyfr, cau ei lygaid
a dechrau cyfrif.

Rhedodd Angharad i'r ddôl.
Trodd ei hun yn sioncyn y gwair
a chuddio rhwng y glaswellt.

Ond darllenodd y Dewin yn ei lyfr:

Mae Angharad yn cuddio
ar fy ngair
Rhwng llafnau'r glaswellt
fel sioncyn y gwair.

Rhwydodd Angharad a'i chipio i'w stafell molchi oedd wedi'i phaentio'n wyrdd. Roedd ôl past dannedd gludiog y Dewin yn y bath a'r sinc, ac ar y waliau a'r llawr.

"Rwyt ti'n hoffi gwyrdd, wyt ti?" meddai. "Os felly, dechreua lanhau!" A chlodd y drws yn dynn.

Ac felly y bu am dridiau. Bob dydd byddai'r
Dywysoges yn ceisio dianc.

Ddydd Iau trodd ei hun yn
llwynog coch a chuddio
mewn pentwr o ddail coch.

Ddydd Gwener trodd ei hun yn
iâr fach yr haf borffor a hedfan i
ganol y blodau porffor.

Ddydd Sadwrn trodd ei hun
yn gath ddu a chuddio'n
llechwraidd mewn twnnel du.

Ond, bob tro, byddai'r Dewin
yn dod o hyd iddi ac yn rhoi
mwy a mwy o waith iddi.

Fore dydd Sul, daeth y Dewin i'r to lle roedd
Angharad wedi bod yn sgwrio'r huddygl o'r
simneiau du. Yn lle rhuo, chwarddodd yn greulon.

"Dyma dy gyfle olaf di," meddai. "Os ddala i di'r tro hwn, bydd yn rhaid i ti aros a gweithio i fi am weddill dy fywyd."

Yna, agorodd ei lyfr, cau ei lygaid a dechrau cyfrif.

Trodd y Dywysoges Angharad ei hun yn wylan wen a hedfan fry i gwmwl.

Ond wrth iddi hofran uwchben y to lle roedd y Dewin yn dal i gyfrif, gwelodd Angharad eiriau'n ffurfio ar ei lyfr agored. "Felly dyna sut mae e'n dod o hyd i fi!" gwichiodd. "Fydda i byth yn gallu dianc!"

Yna, cafodd syniad.

Trodd

ei hun

yn dudalen

ar

lyfr

y Dewin –

tudalen hollol wyn,
heb arni'r un ysgrifen.

"Naw deg wyth, naw deg naw, cant!"
Gorffennodd y Dewin gyfrif a
dechrau darllen ei lyfr:

> Trodd y dywysoges
>   a mynd i guddio
> Fel aderyn mewn cwmwl
>   a chafodd un cyfle eto.

A dyna ddiwedd y dudalen.
Trodd y Dewin i ddarllen mwy.
Ond doedd dim mwy. Roedd tudalen
nesaf ei lyfr yn wag ac yn wyn.

Collodd ei dymer yn RHACS!

"DYNA LYFR TWP!"
gwaeddodd a thaflu'r llyfr i'r ffos.

Glaniodd y llyfr gyda sblash a
suddo i waelod y dŵr.

A gyda hynny diflannodd holl hud
a lledrith y Dewin!

Yr union eiliad honno, trodd y Brenin a'r Frenhines a
phawb oedd yn y parti o fod yn garreg yn ôl yn fyw.

"Ble mae'r Dywysoges Angharad?"
gofynnodd pawb i'w gilydd.

Doedd neb yn gwybod. Neb ar wahân i'r
Fam-dylwythen a'r cwbl wnaeth hi oedd
gwenu. Ddwedodd hi'r un gair.

Roedd y Dywysoges Angharad wedi troi
ei hunan o fod yn dudalen wen i fod yn
bysgodyn glas ac wedi nofio i ymyl y ffos.

Trodd ei hunan yn gyw bach melyn
a rhedeg ar hyd buarth y fferm.

Trodd ei hunan yn sioncyn y gwair bach
gwyrdd a hercian ar hyd y gwair.

Trodd ei hunan yn llwynog
coch a rhedeg drwy'r dail coch.

Trodd ei hunan yn iâr fach yr haf borffor
a hedfan i ganol y blodau porffor.

Trodd ei hunan yn gath fach ddu a
chuddio'n llechwraidd mewn twnnel du.

Yna, trodd ei hun yn
aderyn gwyn a hedfan …

... yr holl ffordd adref i'r palas ac i mewn drwy'r ffenest.

Eisteddodd yn dwt ar gadair wrth
y bwrdd a throi ei hunan ...

yn ôl i fod yn dywysoges!

Cofleidiodd y Brenin a'r Frenhines hi'n dynn.

Yna torrodd y Dywysoges Angharad ei theisen a rhoi darn mawr, blasus i bawb.